Versaill

Texte de Stéphanie Ledu
Illustrations de Bérengère Delaporte

MILAN

Nous voici en 1623. **Louis XIII**, le roi de France, aime chasser les loups et les cerfs dans les bois autour de Versailles.

Souvent, le roi dort à l'auberge du village. Pas très confortable ! Pour être mieux logé, il décide de faire construire un petit **pavillon de chasse.**

Plus tard, son fils **Louis XIV** vient parfois en famille dans cette jolie maison de campagne. Le nouveau roi a envie d'agrandir et d'embellir le domaine.

Il demande à l'**architecte Louis Le Vau** d'ajouter des bâtiments au premier château. Quel chantier ! Des milliers d'ouvriers y travaillent.

Louis XIV veut avoir le plus beau des parcs.
Le **paysagiste André Le Nôtre** dessine un magnifique jardin aux formes géométriques, « à la française ».

Il y a aussi des coins plus secrets, comme le **labyrinthe** ou les **bosquets**... Plus de **300 statues** sont disséminées dans la verdure.

Le roi pense que des **bassins** et des **fontaines** rendront Versailles encore plus magique !

Un réseau compliqué de barrages, de pompes et de tuyaux amène l'eau de très loin.

En été, Louis XIV et la reine Marie-Thérèse naviguent sur le **Grand Canal**. En hiver, on y glisse en traîneau.

Avec ce somptueux château, Louis XIV veut montrer sa puissance au monde. Il décide de vivre à Versailles avec sa **cour**, les nobles du royaume.

On l'appelle le **Roi-Soleil**. Le voici qui reçoit des ambassadeurs étrangers dans la **galerie des Glaces**. Éblouissant !

À la cour, on suit l'**étiquette** : ce sont des règles très précises qui disent comment se tenir ou parler.

Louis XIV fait tout en public.
Dès son réveil, sa vie est comme un spectacle...

L'approcher est un grand honneur. Chacun essaie de plaire à **Sa Majesté** !

Le matin, le roi assiste à la **messe**, travaille avec ses **ministres**, puis déjeune dans sa chambre.

Le « **petit couvert** » comprend plus de 20 plats. Louis XIV adore les petits pois, un légume nouvea à l'époque, cultivé au potager de Versailles.

L'après-midi, le **souverain** chasse ou se promène avec les dames.

À la cour, on s'amuse ! Louis XIV organise des soirées dans son **Grand Appartement**. Les **courtisans** dansent, jouent aux cartes ou au billard...

Le roi aime les **arts** : il commande des pièces de théâtre, des ballets, des tableaux et des sculptures aux plus grands artistes de son temps.

Avec plus de **2 000 pièces**, Versailles est immense. Mais bien trop petit pour ses **15 000 occupants** !

La foule se presse… N’importe qui peut visiter la demeure du roi. Il suffit de porter une épée et un chapeau. On peut en louer devant les grilles du château !

De nombreux courtisans et serviteurs habitent des chambres et des appartements minuscules.

Après Louis XIV, deux rois se succèdent.

Louis XV fait aménager de plus petites pièces pour lui et ses proches. Il n'aime pas l'étiquette imposée par son arrière-grand-père le Roi-Soleil.

Dans le parc, il fait construire le **Petit Trianon** pour l'offrir à une dame qu'il aime.

L'épouse de **Louis XVI** fait ensuite bâtir un **hameau** très simple à côté du Petit Trianon. Ici, **Marie-Antoinette** échappe à la foule du château et vit comme à la campagne.

En 1789, c'est la **Révolution** ! Le peuple français ne veut plus de roi. Il chasse Louis XVI et Marie-Antoinette de Versailles. Ils n'y reviendront jamais…

À Versailles ont donc vécu 3 rois.
Cela n'a duré que **100 ans** environ.
C'est très peu pour un si gigantesque **domaine** !

le Trianon bleu

la grotte de Téthys

l'escalier des Ambassadeurs

Au fil du temps, certaines choses ont été remplacées ou détruites. Celles-ci n'existent plus...

le labyrinthe

la ménagerie tombée en ruine

Mais il reste bien d'autres merveilles à découvrir !

Aujourd'hui, Versailles accueille chaque année **4 millions de visiteurs.**

Ils viennent flâner dans les parcs, découvrir le château, admirer une exposition, voir fonctionner les **grandes eaux**... Pour t'imaginer au temps du Roi-Soleil, suis le guide !

Découvre tous les titres
de la collection
Mes P'tits DOCS

Les châteaux forts
Le chocolat
Le cirque
Les dinosaures
L'école maternelle
L'espace
La ferme
La fête foraine

À table !
Au bureau
Chez le docteur
Les bateaux
Le bébé
Le bricolage
Les camions
Le chantier